BIG & BOLD SUDOKU

More than 150 puzzles & solutions!

Volume #2

Minerva Books, Ltd.
2 West 45th Street
New York, NY 10036

Editorial Services: Cambridge BrickHouse, Inc.
Managing Editor: Priscilla Colón
Designer: Brian Babineau & Ricardo Potes

ISBN: 0-8056-5618-9

Printed in the United States of America

10 9 8 7 6 5 4 3 2

How to Play Sudoku

Sudoku is a fun-packed game that engages your brain and sharpens your mind! It is played by using a combination of numbers and logic. You don't have to be especially good at math to solve a Sudoku puzzle.

The Sudoku game board will have some numbers already done for you. The goal is to fill in the blank boxes with the numbers 1 through 9. You are only allowed to use each number once in every row, column, and 3x3 block. The numbers may occur in any order (except diagonally). By process of elimination, you will fill in the remaining numbers.

You can work your way up through the levels of difficulty from EASY to EXTREME. Don't worry if you get stuck. All you have to do is turn to the solution pages at the back of this book!

The addictive power of Sudoku guarantees you endless hours of entertainment. Waiting at the doctor's office, at the airport to board a flight or traveling on a bus will never be boring again!

Sample Sudoku

Puzzle

2			6					
						6	2	
	9	8	7		2	1		
		3			4			
		1	3					
			2		9	4		5
	1		4	7		2		9
							6	
	8		9					

2	3	5	6	4	1	9	7	8
1	7	4	8	9	5	6	2	3
6	9	8	7	3	2	1	5	4
9	2	3	5	8	4	7	1	6
4	5	1	3	6	7	8	9	2
8	6	7	2	1	9	4	3	5
5	1	6	4	7	3	2	8	9
3	4	9	1	2	8	5	6	7
7	8	2	9	5	6	3	4	1

Solution

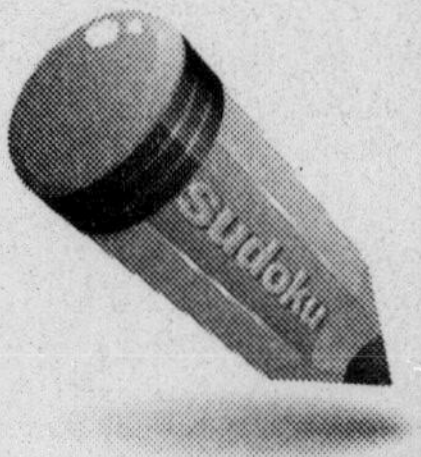

1

	7		4			3	5	
	5				1			
8		9	5			1	2	
		5	3					1
	1						7	
4					7	2		
	4	1			2	8		3
			6				4	
	6	2			5		1	

2

	8		2					
9		5						6
	4	2					1	9
			4		9	1		5
		3	6	8	1	9		
7		9	3		5			
8	9					5	7	
5						3		8
					2		9	

9			6	8			5	
						2		
8		2	1	5				
		8	9	7		4	2	
1								7
	9	6		4	8	1		
				6	5	8		1
		5						
	3			2	4			9

3

		7			6	9		
		2			9			3
9		6		4				5
5			4				1	
3			2		1			6
	8				3			9
1				2		6		8
7			8			1		
		8	1			2		

4

Easy

5

	8			3	6	4		5
								6
	6	5		1				2
6			3		1			9
		7				3		
2			8		4			7
5				4		1	2	
4								
9		3	2	6			7	

6

	7	9						
			2	6	3		9	
		5		1		6	4	
		4		3			6	5
		2				8		
8	6			5		4		
	4	1		2		3		
	3		4	8	6			
						7	2	

	2	5					6	
8	7			1			9	
		9	7	2				
					7	5		3
1			4	3	9			8
2		7	8					
				9	5	7		
	4			7			2	9
	9					3	5	

7

		1	9			7	3	
	5		4		7		2	
		9				1	8	
3				8		9		
			6	3	2			
		4		7				8
	6	5				8		
	9		8		3		4	
	3	8			5	2		

8

9

	7		5			1		3
							8	
8				4	2	9	6	
		8			4	3	7	9
				5				
6	2	7	1			5		
	5	9	2	6				4
	8							
7		2			9		5	

10

	8			7				1
			6			2		4
2	1			5	4	6		
	6	5					3	
			7	9	1			
	9					1	2	
		1	9	8			4	3
9		7			3			
3				6			7	

1			2		7		4	5
	7						3	
	8			6	4			
						4	9	8
7		3		8		6		2
4	9	8						
			8	7			2	
	4						6	
5	6		1		3			7

11

6	1	2		7				9
			1			8	6	
	7		3			1		
3				6	7	5		
				8				
		4	2	5				8
		3			2		9	
	9	6			8			
7				4		3	8	5

12

13

3		8			2		5	
	5	7				9		
1					8		4	
			2		4		7	1
		9		7		5		
7	1		6		5			
	8		5					9
		1				8	6	
	2		3			4		5

14

		1	8	6	7	9		
					1		4	5
6				2				
7	8	9				5		
3								4
		4				2	8	3
				7				9
4	1		2					
		7	5	8	4	1		

15

4		5	9	8				
	7	3	5			4		
		9					3	5
						5		
1		6	4	3	9	2		8
		7						
3	6					7		
		1			8	6	2	
				4	2	3		1

16

7	9	3					1	
			3		4			
6	4			2	9		7	
9						3	5	
8								2
	6	2						1
	1		8	5			3	6
			4		6			
	3					8	4	5

17

		7	2			4	9	
3	6		7					
	1		3	5				
2		5	8					
4	3						8	9
					9	3		2
				7	5		6	
					3		7	1
	7	8			1	5		

18

6		2						9
4	1			9	6			
8	7		1			5		3
			3		1			
		6				7		
			6		9			
9		5			4		2	1
			2	6			7	5
2						8		4

3	1		4					
2	5		3					
	6					3	1	8
				5	7	8	3	
		3				9		
	9	6	2	4				
1	8	9					5	
					1		9	2
					4		8	7

19

7		4	1		2			8
	5	3				4	1	
					4			
9			3				2	
	1		4		9		3	
	2				7			5
			7					
	3	9				5	6	
6			5		1	3		4

20

21

	6					4		
		2	3	9		8		
			2	1		3	6	7
		7		4			2	
	1						5	
	2			7		1		
1	3	6		8	5			
		4		3	2	6		
		9					7	

22

1				5			8	9
3			9			2		
		6	8	1	2			
	3				7			
8		2		4		7		5
			6				2	
			1	7	6	5		
		7			5			8
9	5			3				6

23

3					9			
			7		4		8	
4						2	3	9
8		9					5	
1		3	2	4	5	8		6
	2					3		7
7	1	8						5
	5		8		7			
			9					8

24

	4					7	3	5
				1	7			
2			3		6			
	1	6			4	9	7	
		7				4		
	2	4	1			3	6	
			2		1			3
			8	6				
4	3	8					1	

25

			5	9		6	4	
				6			7	3
7			2				9	
4		9	3				6	
8				5				9
	2				8	4		1
	7				3			6
3	6			4				
	9	2		8	5			

26

1	2	6		3	4			
		3					6	
		9						2
5			9	4	6	8	7	
				7				
	3	7	2	5	8			6
3						9		
	6					7		
			8	9		6	4	1

	8	9	7	2			1	
1					9	7	4	3
		7	1					
7							6	
		1		6		4		
	3							5
					8	3		
2	4	8	3					1
	1			4	7	6	5	

27

9	6			1				
1		7			2		9	
5		4				3		7
			8					3
2			9		3			1
8					6			
4		2				7		8
	7		3			9		5
				8			6	4

28

29

		7	3	8				9
3					9		1	2
				2				
5		4	8	1			7	
		9		4		2		
	7			9	3	5		6
				5				
9	5		6					8
1				3	2	6		

30

8	5						6	
		4	6	7			5	
3		7	2				4	
				6		8	7	
1				9				5
	8	5		2				
	3				9	6		7
	4			1	2	5		
	2						1	9

			5		8			
		8				9	4	6
		7		1	4	3	8	
	5	1					3	
			8		2			
	6					5	9	
	3	5	1	8		4		
6	2	9				8		
			9		3			

31

2	6		1					9
5		4		6			1	
			4				8	
	8		5		4	1		7
7		2	3		9		4	
	1				3			
	7			5		9		2
8					6		3	1

32

33

2								
		6		9	5		1	3
9			1	2				5
			9				6	
6		9	3		4	5		2
	3				2			
3				1	6			4
7	9		2	8		1		
								8

34

8					9	4		2
1					2		3	
		9				8	1	
	6				3		8	5
		7				6		
3	4		5				9	
	7	3				1		
	8		4					9
9		5	2					4

35

		1	7					
4		3			8			
			4	9	1	5		3
6	2			8			3	
	1						4	
	4			6			9	5
5		8	2	4	7			
			6			7		4
					9	2		

36

	6						9	4
			4			7		3
					2	8	1	
	8	4	1				6	
7		6				1		9
	3				6	2	5	
	4	7	3					
8		3			4			
5	2						3	

37

	1			8	2	7	5	4
5							1	
8	4			5		6	9	
					1			
		4		3		9		
			2					
	7	9		6			4	1
	8							2
6	3	1	8	2			7	

38

			1	3		7		
9			6					
1	6		7	5				9
7			4	2		1		
2								6
		8		7	5			2
4				6	8		2	3
					7			5
		2		9	1			

	3	9	7			8		
							4	
						1	3	9
	8		9	7	1			2
	7	1		5		4	9	
9			8	4	6		5	
2	6	5						
	4							
		7			3	6	8	

39

	7	4	8				2	
2					1			5
8	5			2	9			
4	3							
9			5	6	7			3
							8	9
			4	7			5	8
7			1					6
	6				2	7	9	

40

41

	3							2
	4	7	6	1	3			
1		6	8					
		3	2					8
	2	9				4	6	
6					9	2		
					8	9		6
			1	7	4	8	2	
7							5	

42

4			5				9	
	5	3			9	4		
				1			5	2
	1	4		9	7		2	
	2		4	5		7	1	
5	6			3				
		7	6			1	8	
	9				1			6

4		9	8					7
	1		4		2	9		
				5				1
6						8		9
3			2		6			4
8		1						3
1				6				
		4	5		8		1	
2					1	3		5

43

			3		6	4		1
	3			1			8	2
6							7	
1		7			2	3	5	
	5	2	4			7		6
	4							9
5	9			6			4	
2		1	9		3			

44

45

1		7	4					
3	6		5	2		1		
9				1				
8	9						6	
2		4		6		5		9
	1						3	2
			1					5
		9		4	8		2	1
					2	7		3

46

	7			2	6	1		8
8						4	6	
	6			4			2	9
4	5		6					
				7				
					3		4	7
3	4			9			1	
	8	9						6
7		2	8	6			9	

	8			9				
9		5			4	2	8	
	4				8	7		
	6		4			1		5
		3				9		
7		9			5		6	
		6	1				7	
	2	1	9			3		8
				5			9	

47

		7	1					
					7	5	6	
				2			3	1
1	8			4	5	9		6
			8	6	1			
2		4	7	9			1	5
5	9			3				
	4	8	5					
					9	2		

48

49

	6	2	3			5		
3	1					2	7	8
				8		6		
					8		1	
	5		6		7		8	
	7		5					
		3		6				
5	8	6					4	3
		1			3	9	2	

50

	7				6	4		
		9	7	4				
3			5	8			1	
1			8			6		2
	5			6			7	
6		7			9			3
	9			2	7			1
				5	8	9		
		6	1				5	

51

							9	
	3		7			6	8	
	1	9			4	5		3
				9	2		5	
	6	4				9	2	
	5		4	3				
8		6	5			1	3	
	9	3			1		4	
	7							

52

	5	4	6				7	
	9	6			7			
7			2			4		
5			4	7		6	3	
				1				
	1	2		9	8			4
		3			4			7
			7			9	6	
	7				3	2	4	

53

6	2		4					
				3	6	1		
	8			2			4	6
2			8	7		5		
			3	4	1			
		9		6	2			1
7	6			1			3	
		2	6	5				
					3		9	7

54

	5		9	8			2	
							5	9
			5	7		1		
		8	6			9	7	
1			8		2			6
	4	5			7	8		
		2		5	9			
	1	4						
	8			2	6		3	

55

6	9	7						3
4			9				6	
				8			4	9
	2	6			4		7	5
9	3		7			4	2	
1	6			7				
	4				2			7
5						3	8	4

56

		3		9		1	4	
	8		1					
	7		4				8	3
	4			3			7	
5			2		7			6
	3			8			9	
8	5				4		3	
					8		6	
	2	6		1		8		

57

			3		5	1		
5	8							3
	1		6			8	5	9
4					6			
6		3				7		4
			5					2
9	7	2			8		3	
8							9	7
		5	2		7			

58

		4		5				
	8		6			5	7	3
5					3	6		
			4		9	8		1
1				7				5
3		8	5		1			
		7	3					6
2	5	9			6		4	
				4		9		

		6	1	4				
	2		5			4		7
4		7			2			6
				8			5	4
			2	7	1			
8	3			5				
9			7			8		5
1		4			5		2	
				2	8	1		

59

	5				3		2	
	3		4					7
	4	6	7			3		
5	2							6
3			2		4			5
1							7	8
		5			1	7	6	
2					6		4	
	7		3				1	

60

61

2				3		5	6	9
	6				1		7	
		7			6			4
		2			3			
6		5		4		7		1
			9			8		
8			6			3		
	2		3				4	
5	3	9		8				7

62

5	2				6			
8		3		4	1			
	6		5		2	7		
							9	4
	4		3	5	9		7	
9	8							
		8	1		3		6	
			6	7		4		2
			8				5	1

2			6					
8		6		9	5			
	4						7	
	2	8				3	6	
6		9	3		4	5		2
	3	7				4	9	
	8						2	
			2	8		1		6
					9			8

63

9		2						6
4					1			
		8	9		6		4	2
	2						8	3
3		4		6		2		9
6	9						5	
2	3		1		7	4		
			5					1
7						9		8

64

65

8			7		1		5	
	4		2		3			
6		9	5	4				3
		1						
	3	6				5	9	
						1		
1				5	4	7		8
			8		7		1	
	7		6		9			2

66

	6		9			5		7
3	2	8			7	1		
							6	2
5			1	6		8		
		1		9	3			6
4	3							
		7	5			6	4	3
9		6			1		2	

		9		4		2		3
4			2			5	9	
	2	5	9					
						1	6	5
		2				8		
8	6	3						
					5	3	8	
	3	7			6			1
5		6		9		7		

67

		1	8				2	4
8	3		4		9	6		
			7				8	
						4	3	6
	6						9	
1	9	4						
	8				1			
		3	5		6		4	9
6	7				8	5		

68

69

		3			5	2		4
				7		6		9
			1	2				3
9	7						5	8
		1		9		4		
3	6						9	1
4				5	2			
5		9		3				
2		6	9			8		

70

2	7	3		6				5
		1				8		
8		9			1		3	
		6		4	3			
	4						9	
			1	5		3		
	2		6			9		7
		8				4		
1				9		6	8	2

71

	1			4			7	
	9				1			2
	5	3				1		9
		7			6		9	
		1	5		4	8		
	3			7		5		
8		2				7	5	
3				2			1	
	7			8			4	

72

2	1		4	3			7	
						8	5	
		4			7		1	3
					2		9	5
			8	1	9			
9	6		7					
8	9		5			7		
	2	1						
	3			7	8		6	9

73

	5				1			
7	6	9						
2					7	5	6	9
		3		7				1
		4	2		8	6		
8				3		7		
9	8	2	5					3
						4	5	2
			7				9	

74

					2		5	
		8	1			7	4	
2				8			9	
	1	4		9		3		
	7		5		4		6	
		5		6		9	2	
	9			2				7
	8	1			7	2		
	2		3					

				1				
	5	4		3	6	7	2	9
		9	4					6
	1					5	8	
			1	6	8			
	4	2					6	
5					9	6		
3	6	7	5	8		9	4	
				2				

75

			8				5	
		7			5		1	
					7	3	9	2
1			7		8			
7		9	6		4	2		1
			3		9			4
4	8	5	9					
	6		1			8		
	7				3			

76

77

						6		
		8	9		4		5	
	9	6	8	1				7
	3			2		8		
	1		3		9		6	
		5		8			2	
4				7	6	5	9	
	6		4		5	1		
		1						

78

6			9	5			8	1
					6			9
	9					5		
	1	5			4	2		8
	7						9	
3		6	7			4	1	
		9					2	
2			1					
5	8			2	9			6

	4					1		3
	1	5	4					
2					1		8	
1		2	7		4	5	9	
				9				
	8	9	6		5	2		4
	9		5					8
					3	9	6	
4		6					1	

79

			6		8	2		7
			7					
	4			1				6
2	7	1	9				6	3
	3						7	
9	6				3	8	2	5
1				4			9	
					9			
7		9	3		1			

80

81

		2	3					8
4	8							7
					5	1	2	9
			1	7			4	
1	7						9	6
	2			5	4			
8	4	3	9					
2							1	4
5					8	9		

82

	9		8	1				7
	4	8	6	7				2
7		2						
9			3			4		
			1		6			
		7			5			3
						6		1
3				6	1	8	2	
1				5	8		7	

	4			6		1		3
	1		4		7	6	2	
2				5		4		
			7					6
		4				8		
7					5			
		1		2				8
	7	8	1		3		6	
4		6		7			1	

83

3					4	5		
1	2	5		8	9			
4			1				8	
			8		3		6	
		1		6		4		
	3		4		1			
	7				8			4
			3	5		9	7	1
		3	2					8

84

85

1			4		8			
		6	7	9				
7	5					1	4	
			8	6			7	9
6								1
3	9			7	2			
	7	5					8	2
				8	5	6		
			2		7			4

86

2			1	8		4		
		6		3		5		
4	8						9	
6						2	4	
		7	6		1	8		
	2	3						7
	6						5	3
		8		6		1		
		2		4	7			8

87

2	4	9	3		5			
	8				1			
3		7	6		2		5	
4								
	5	3				7	1	
								2
	7		4		8	5		1
			1				9	
			2		7	6	4	8

88

			6					
1				5	2			9
		2		9		4	8	5
	4	9		1				7
			7		5			
7				3		5	2	
3	1	8		6		7		
2			8	7				6
					3			

89

	3					8		
	1		2		9			7
		2	4		8		3	
	8		9			3		2
		1		5		4		
9		3			6		5	
	6		1		4	9		
3			6		7		1	
		7					8	

90

		9		7		8	5	6
		8			9			
	7							4
2		6		5				
7		1	2		3	5		8
				8		9		2
3							8	
			6			4		
9	4	5		1		6		

					1			9
	4	3	5			6	2	
			3	2				
	8	7				9	4	3
			7		2			
6	1	9				7	5	
				5	7			
	3	6			4	2	7	
7			1					

91

9					7		1	
			9			7		
			2		8	9	5	
	5		7	2				6
3		9				4		5
7				4	5		9	
	7	1	5		3			
		6			4			
	9		6					8

92

93

6				1				
		8	9		2			7
3			5		7		9	
		6			9		8	
	3	7		4		9	5	
	9		6			2		
	4		1		5			9
9			3		8	1		
				9				2

94

2	9				5	6	8	
			4		1			5
				2				
	8	9		7	3		5	4
				8				
4	7		5	1		8	3	
				5				
3			8		2			
	1	5	3				6	2

95

1		4	7	5	3	6		
3				6			5	
5							4	
	3		5		7			
			3		9			
			6		1		2	
	8							2
	6			9				8
		1	2	3	8	4		6

96

	7		1	6				9
			4	9		5	2	
				5				
4		3				6		
7		6	2		9	8		5
		8				7		4
			9					
	8	2		3	4			
9				7	8		5	

97

	2	4			7			9
	1	7	6					
	9		4					
2				3		5		4
4			8		2			1
9		3		4				8
					3		4	
					8	7	1	
1			7			9	8	

98

		7	2				5	
9		5			4	2		
					8	7		9
2	6			9				
4			6		1			7
			3				6	4
8		6	1					
		1	9			3		8
	7				2	6		

8		1	2			7	4	
7			8				6	2
9	1				4		7	
		8	5		2	6		
	2		7				1	5
1	3				5			4
	6	4			3	9		7

99

3		1				8		
	9		4				2	7
				8	9	3		
		2		4	8			6
	3			7			5	
6			3	2		7		
		3	8	1				
9	8				2		1	
		4				6		5

100

101

	7		6	3		1		8
			9			4		3
					5			9
			3				9	6
		5	4		1	8		
7	6			2				
8			2					
6		3			9			
2		4		8	3		1	

102

5	9		2	4				
1						4		
	4	7			6		2	3
3	5		4					
	8						7	
					8		4	1
9	7		6			1	3	
		5						9
			8	2			5	4

		6		7			5	8
					6		4	
4	8				5		2	
			5				1	4
8		2				7		5
5	4				1			
	9		3				7	1
	5		7					
1	7			5		8		

103

9					4		2	
3	4				2			9
	6	7				3		
1	8				5		6	
			9	6	8			
	9		2				3	8
		3				2	1	
8			4				5	7
	7		5					3

104

105

1		4		5	3			9
	7			6				
5					2		4	
		9					1	
8		2	3		9	7		5
	4					9		
	8		1					2
				9			3	
9			2	3		4		6

106

6						9		
2			7					5
8	5			2			4	7
4	3	6	9					
	8						1	
					4	6	8	9
3	2			7			5	8
7					5			6
		5						4

5	3			2			6	4
	7				6		9	
			1			2		
	6		5			9	8	
		2				3		
	9	5			8		4	
		4			2			
	2		6				7	
8	1			4			2	3

107

					7			
9			6		2	1	7	
1	6		3					8
3	7				5	2		
		1				4		
		4	7				3	9
7					8		9	4
	9	3	1		6			2
			2					

108

109

5	4			6		1	3	
	9		4		7		8	
		8	5					
		3						
2	5		1		9		6	4
						9		
					3	8		
	6		8		5		9	
	3	9		4			5	1

110

7	3			9				1
		8	2			6	7	
5		4					9	
			9		5	4		
			4	3	6			
		3	1		7			
	8					1		9
	6	5			9	7		
1				7			8	6

111

		8			1	5	3	
4				9	6	8		
			8					4
				3			9	8
	3	5				7	4	
9	8		4					
5				8				
		3	9	7				1
	9	6	1			2		

112

1	2	8						4
	9	3			8		7	
6		7		2				
			9		7	4		
		2				7		
		4	1		2			
				6		5		7
	7		4			9	8	
2						6	1	3

113

	9	3						
			5	2	3	7		
1				6				8
4						5	7	
3		7	2		6	1		9
	1	9						6
6				4				7
		2	6	5	7			
						9	6	

114

			6					7
5	7		4		9	1		
					7	2	4	
2						7	6	
3		7				8		1
	9	8						5
	5	9	1					
		6	9		4		5	2
7					6			

115

			1		2	7		
7				6	9	3	5	
		9						
2	8	7			5		1	
	9						7	
	3		6			4	9	2
						1		
	1	6	9	8				7
		2	7		1			

116

1		8	3	4				5
4	7				8			
	2			6				
	1	7			5			3
9								7
8			7			9	1	
				2			9	
			8				6	2
2				1	6	5		4

117

					7		4	
9	4			5				3
		7	3	9				
			4		5	2		1
	2	1		6		4	5	
6		4	7		1			
				3	8	6		
5				4			8	2
	8		2					

118

					5	6	9	
				1	8	2		
	8							3
2			8		4		3	
9		8	2		1	4		5
	7		5		3			2
5							8	
		6	1	5				
	1	3	6					

				7			8	5
	9		8	2		4		
						1		
	7	8	2	1		9		6
		6		9		5		
1		9		6	8	2	3	
		2						
		1		3	2		9	
4	6			8				

119

9			6			2		
	6					4		
	2	5		4				9
			8	5	2	7	9	
7				9				2
	9	1	7	3	6			
3				6		5	1	
		4					2	
		2			5			8

120

121

		3	5		7			
7	1	6			8			
				4		9	7	3
1		2						
	6		7		2		3	
						5		6
8	9	5		3				
			8			3	5	4
			2		5	8		

122

	6		1		9			3
5	1		7	6				9
3								
1	3			5		8		6
				9				
2		5		3			4	1
								7
9				7	4		5	8
7			9		6		3	

4			6		8			
		7		3	1		6	
	6		7				5	
6	7					8		
	2	4				3	7	
		5					4	6
	9				7		8	
	1		8	6		4		
			2		3			9

123

		4		1				5
8	5					1		
9		1	3		5		8	
	4				8			
5		7				2		9
			7				4	
	7		5		9	4		8
		5					2	6
4				2		9		

124

125

	8	4			2	5		1
3	1							9
	7					8		
			2	7			9	
4			9		8			7
	9			4	1			
		3					5	
7							4	2
8		9	5			6	1	

126

					2	4		
8	6						2	7
2	4				5	1	6	
	9			5	7			
			2		9			
			3	1			9	
	5	7	9				4	8
1	8						7	6
		4	6					

			4				5	6
3				2	7	1	9	
					1	2		8
			2	1		4		
2								9
		6		9	4			
4		2	1					
	5	9	3	4				1
6	8				2			

127

7								
	2		5	7	6	9		
6		4			2			
			2				1	8
2		8	9		1	5		3
1	5				7			
			3			1		2
		2	7	1	9		3	
								9

128

129

				8			2	
						3	7	1
			1		2			5
		6		2	1		4	
8	4	2		7		1	6	3
	1		4	6		9		
4			2		3			
9	2	3						
	7			4				

130

		2			4		3	6
					1		9	
						5		
5	2		4	1				3
3		4	7		5	2		9
6				2	8		5	4
		9						
	4		5					
7	1		6			9		

	5			1	6	4		
		2	7	9			1	
	1					6		7
2		5	8					
	3						8	
					9	3		2
1		3					6	
	4			8	3	2		
		8	9	2			3	

131

8								
	4				3	1	7	
	6	7				2		9
	7	6			4	9		
9			8		6			7
		2	7			6	3	
6		8				7	9	
	3	4	9				6	
								1

132

133

8				7	6	2		9
		2				5		
		4		9			1	
	2				1		8	7
1				4				5
7	4		5				6	
	9			8		6		
		7					8	
2		8	6	5				1

134

	9						5	
4	8	5	9		7			
2				8				9
8					4		7	5
		4				9		
9	3		7					8
1				7				2
			8		2	6	1	7
	7						8	

135

9		6					5	
7					6	1		
4			9	3			2	
					7	2	1	4
		2				7		
5	4	7	2					
	9			4	2			1
		3	7					6
	7					8		2

136

	6	5	1				4	7
		4		5		1		
3							8	
4					9		1	
9		6		8		7		4
	7		6					3
	4							2
		9		6		4		
6	2				1	5	3	

137

	5	8			2	4		6
1					8	9		
		4	9	5				
			5				7	
7		9				6		1
	3				7			
				2	9	5		
		3	4					2
5		2	7			1	6	

138

		3	8					
	8			7	3	6		
1	7		4				8	
6		2					7	8
5								6
7	3					4		2
	5				4		3	1
		7	3	5			6	
					9	8		

2			6		3	5		
	3		5					6
	5		4	2	8		9	
	2					6		4
6		5					7	
	6		2	8	4		3	
5					6		1	
		4	9		5			2

139

7		8		3				
	9			2	7			
			8	4	6	9	7	
					4	5	8	
		7				2		
	5	6	7					
	1	5			3	6	2	
			2	6			3	
				5		7		9

140

141

6		7				2	4	
4			9	2				8
				5			1	
	8	6	2	3		4		
				7				
		9		4	5	3	8	
	7			6				
3				9	2			1
	6	2				8		4

142

1			9	8		4		6
	8				4	3		
7		4		2				
			3			7		
	4		5		9		6	
		7			8			
			2			6		7
		3	7				8	
6		1		4	5			9

			6		8		4	1
	1				7	9	8	
		4					7	3
				2				
	5	2	8	7	3	1	9	
				9				
2	6					4		
	7	5	1				3	
4	3		7		2			

143

		3	6		8			
6	8					7		
	5	9	4					
3	9		5				2	
		5	8		2	4		
	2				7		1	5
					4	5	8	
		1					7	4
			7		3	1		

144

145

2					4			9
7	9						6	3
						1	8	
6	2			9				8
5			7		8			6
9				6			1	5
	6	5						
8	7						9	1
1			2					4

146

6	1		5					
			6	2	8			9
		7				5		2
		1			5	3	9	8
5	6	8	3			2		
7		3				9		
8			9	3	1			
					2		4	3

147

	1					2		
6		2		3				
			4		1	6	3	
3			5		6			7
	7	5				4	6	
8			3		7			5
	3	7	1		4			
				8		3		4
		8					9	

148

			6	5			3	1
					8	4	7	
5				1				
		5			6		2	4
		8	2		5	7		
3	2		1			5		
				7				9
	3	9	5					
7	1			6	3			

149

1		7			2			8
	2	8			7			
6			3	8				
		6	9				2	
5		9				6		3
	8				6	4		
				9	3			6
			2			7	8	
4			8			3		2

150

	3			7	2			
		1					7	
5	7		4		3			
	4	9		5			2	
2	5						6	9
	6			4		5	8	
			7		6		5	2
	9					6		
			9	8			3	

151

	3	2						
6							2	
	5	4	7				8	
	7		1		4	6		2
		6	9		5	1		
1		8	3		2		5	
	8				7	4	6	
	6							5
						8	1	

152

	1		2			3		
3					1		4	5
		8		3		6		
	7		3	2			8	
		6				7		
	8			7	9		1	
		1		5		4		
7	4		8					2
		9			2		3	

153

							3	4
3					9	7		
	4		1				6	9
		3		2				
1	5	4	6		3	9	7	2
				7		5		
4	2				5		9	
		6	2					7
5	3							

154

	1	6		3	8	2		
4				9		7		
	5							4
8					2	5	1	
6								2
	9	5	1					3
9							4	
		2		8				7
		4	7	1		3	2	

			3				9	5
5			7			1	4	8
7		4						
				3			2	9
	2	3				5	1	
9	5			8				
						9		1
3	1	9			7			2
2	4				9			

155

1			7					
	5	3	1	2		4		
	4	9	6		5			
5						8		
	9	8				2	5	
		7						6
			4		7	9	2	
		4		1	2	7	3	
					3			1

156

Solutions

1

1	7	6	4	2	8	3	5	9
2	5	4	9	3	1	7	8	6
8	3	9	5	7	6	1	2	4
7	2	5	3	8	4	6	9	1
6	1	3	2	5	9	4	7	8
4	9	8	1	6	7	2	3	5
5	4	1	7	9	2	8	6	3
9	8	7	6	1	3	5	4	2
3	6	2	8	4	5	9	1	7

2

1	8	7	2	9	6	4	5	3
9	3	5	7	1	4	2	8	6
6	4	2	5	3	8	7	1	9
2	6	8	4	7	9	1	3	5
4	5	3	6	8	1	9	2	7
7	1	9	3	2	5	8	6	4
8	9	6	1	4	3	5	7	2
5	2	1	9	6	7	3	4	8
3	7	4	8	5	2	6	9	1

3

9	1	3	6	8	2	7	5	4
5	6	7	4	9	3	2	1	8
8	4	2	1	5	7	6	9	3
3	5	8	9	7	1	4	2	6
1	2	4	5	3	6	9	8	7
7	9	6	2	4	8	1	3	5
2	7	9	3	6	5	8	4	1
4	8	5	7	1	9	3	6	2
6	3	1	8	2	4	5	7	9

4

4	3	7	5	8	6	9	2	1
8	5	2	7	1	9	4	6	3
9	1	6	3	4	2	8	7	5
5	6	9	4	7	8	3	1	2
3	7	4	2	9	1	5	8	6
2	8	1	6	5	3	7	4	9
1	4	5	9	2	7	6	3	8
7	2	3	8	6	5	1	9	4
6	9	8	1	3	4	2	5	7

5

1	8	2	7	3	6	4	9	5
3	4	9	5	8	2	7	1	6
7	6	5	4	1	9	8	3	2
6	5	4	3	7	1	2	8	9
8	9	7	6	2	5	3	4	1
2	3	1	8	9	4	6	5	7
5	7	6	9	4	3	1	2	8
4	2	8	1	5	7	9	6	3
9	1	3	2	6	8	5	7	4

6

6	7	9	5	4	8	2	1	3
4	1	8	2	6	3	5	9	7
3	2	5	9	1	7	6	4	8
7	9	4	8	3	2	1	6	5
1	5	2	6	7	4	8	3	9
8	6	3	1	5	9	4	7	2
9	4	1	7	2	5	3	8	6
2	3	7	4	8	6	9	5	1
5	8	6	3	9	1	7	2	4

7

4	2	5	9	8	3	1	6	7
8	7	3	5	1	6	4	9	2
6	1	9	7	2	4	8	3	5
9	8	4	2	6	7	5	1	3
1	5	6	4	3	9	2	7	8
2	3	7	8	5	1	9	4	6
3	6	2	1	9	5	7	8	4
5	4	1	3	7	8	6	2	9
7	9	8	6	4	2	3	5	1

8

6	4	1	9	2	8	7	3	5
8	5	3	4	1	7	6	2	9
2	7	9	3	5	6	1	8	4
3	1	6	5	8	4	9	7	2
9	8	7	6	3	2	4	5	1
5	2	4	1	7	9	3	6	8
7	6	5	2	4	1	8	9	3
1	9	2	8	6	3	5	4	7
4	3	8	7	9	5	2	1	6

9

9	7	4	5	8	6	1	2	3
2	6	5	9	3	1	4	8	7
8	3	1	7	4	2	9	6	5
5	1	8	6	2	4	3	7	9
4	9	3	8	5	7	6	1	2
6	2	7	1	9	3	5	4	8
1	5	9	2	6	8	7	3	4
3	8	6	4	7	5	2	9	1
7	4	2	3	1	9	8	5	6

10

4	8	6	2	7	9	3	5	1
5	7	3	6	1	8	2	9	4
2	1	9	3	5	4	6	8	7
1	6	5	8	4	2	7	3	9
8	3	2	7	9	1	4	6	5
7	9	4	5	3	6	1	2	8
6	2	1	9	8	7	5	4	3
9	5	7	4	2	3	8	1	6
3	4	8	1	6	5	9	7	2

11

1	3	6	2	9	7	8	4	5
9	7	4	5	1	8	2	3	6
2	8	5	3	6	4	1	7	9
6	2	1	7	3	5	4	9	8
7	5	3	4	8	9	6	1	2
4	9	8	6	2	1	7	5	3
3	1	9	8	7	6	5	2	4
8	4	7	9	5	2	3	6	1
5	6	2	1	4	3	9	8	7

12

6	1	2	8	7	5	4	3	9
9	3	5	1	2	4	8	6	7
4	7	8	3	9	6	1	5	2
3	8	9	4	6	7	5	2	1
2	5	7	9	8	1	6	4	3
1	6	4	2	5	3	9	7	8
8	4	3	5	1	2	7	9	6
5	9	6	7	3	8	2	1	4
7	2	1	6	4	9	3	8	5

13

```
3 4 8 9 6 2 1 5 7
6 5 7 1 4 3 9 8 2
1 9 2 7 5 8 3 4 6
8 3 5 2 9 4 6 7 1
2 6 9 8 7 1 5 3 4
7 1 4 6 3 5 2 9 8
4 8 3 5 1 6 7 2 9
5 7 1 4 2 9 8 6 3
9 2 6 3 8 7 4 1 5
```

14

```
5 4 1 8 6 7 9 3 2
2 7 8 9 3 1 6 4 5
6 9 3 4 2 5 8 1 7
7 8 9 3 4 2 5 6 1
3 5 2 6 1 8 7 9 4
1 6 4 7 5 9 2 8 3
8 2 6 1 7 3 4 5 9
4 1 5 2 9 6 3 7 8
9 3 7 5 8 4 1 2 6
```

15

```
4 2 5 9 8 3 1 6 7
8 7 3 5 1 6 4 9 2
6 1 9 7 2 4 8 3 5
9 8 4 2 6 7 5 1 3
1 5 6 4 3 9 2 7 8
2 3 7 8 5 1 9 4 6
3 6 2 1 9 5 7 8 4
5 4 1 3 7 8 6 2 9
7 9 8 6 4 2 3 5 1
```

16

```
7 9 3 6 8 5 2 1 4
1 2 5 3 7 4 6 8 9
6 4 8 1 2 9 5 7 3
9 7 4 2 6 1 3 5 8
8 5 1 7 9 3 4 6 2
3 6 2 5 4 8 7 9 1
4 1 7 8 5 2 9 3 6
5 8 9 4 3 6 1 2 7
2 3 6 9 1 7 8 4 5
```

17

```
8 5 7 2 1 6 4 9 3
3 6 2 7 9 4 8 1 5
9 1 4 3 5 8 6 2 7
2 9 5 8 3 7 1 4 6
4 3 1 5 6 2 7 8 9
7 8 6 1 4 9 3 5 2
1 2 3 4 7 5 9 6 8
5 4 9 6 8 3 2 7 1
6 7 8 9 2 1 5 3 4
```

18

```
6 5 2 8 3 7 1 4 9
4 1 3 5 9 6 2 8 7
8 7 9 1 4 2 5 6 3
5 2 8 3 7 1 4 9 6
3 9 6 4 5 8 7 1 2
7 4 1 6 2 9 3 5 8
9 3 5 7 8 4 6 2 1
1 8 4 2 6 3 9 7 5
2 6 7 9 1 5 8 3 4
```

19

```
3 1 7 4 8 9 2 6 5
2 5 8 3 1 6 7 4 9
9 6 4 7 2 5 3 1 8
4 2 1 9 5 7 8 3 6
5 7 3 1 6 8 9 2 4
8 9 6 2 4 3 5 7 1
1 8 9 6 7 2 4 5 3
7 4 5 8 3 1 6 9 2
6 3 2 5 9 4 1 8 7
```

20

```
7 9 4 1 3 2 6 5 8
2 5 3 8 7 6 4 1 9
8 6 1 9 5 4 2 7 3
9 4 6 3 8 5 7 2 1
5 1 7 4 2 9 8 3 6
3 2 8 6 1 7 9 4 5
4 8 5 7 6 3 1 9 2
1 3 9 2 4 8 5 6 7
6 7 2 5 9 1 3 8 4
```

21

```
3 6 1 8 5 7 4 9 2
7 4 2 3 9 6 8 1 5
8 9 5 2 1 4 3 6 7
6 5 7 1 4 3 9 2 8
9 1 3 6 2 8 7 5 4
4 2 8 5 7 9 1 3 6
1 3 6 7 8 5 2 4 9
5 7 4 9 3 2 6 8 1
2 8 9 4 6 1 5 7 3
```

22

```
1 2 4 7 5 3 6 8 9
3 7 8 9 6 4 2 5 1
5 9 6 8 1 2 3 4 7
6 3 9 5 2 7 8 1 4
8 1 2 3 4 9 7 6 5
7 4 5 6 8 1 9 2 3
4 8 3 1 7 6 5 9 2
2 6 7 4 9 5 1 3 8
9 5 1 2 3 8 4 7 6
```

23

```
3 8 1 6 2 9 5 7 4
2 9 5 7 3 4 6 8 1
4 6 7 5 8 1 2 3 9
8 4 9 3 7 6 1 5 2
1 7 3 2 4 5 8 9 6
5 2 6 1 9 8 3 4 7
7 1 8 4 6 3 9 2 5
9 5 2 8 1 7 4 6 3
6 3 4 9 5 2 7 1 8
```

24

```
6 4 1 9 2 8 7 3 5
8 5 3 4 1 7 6 2 9
2 7 9 3 5 6 1 8 4
3 1 6 5 8 4 9 7 2
9 8 7 6 3 2 4 5 1
5 2 4 1 7 9 3 6 8
7 6 5 2 4 1 8 9 3
1 9 2 8 6 3 5 4 7
4 3 8 7 9 5 2 1 6
```

25

2	3	1	5	9	7	6	4	8
9	4	5	8	6	1	2	7	3
7	8	6	2	3	4	1	9	5
4	5	9	3	1	2	8	6	7
8	1	7	4	5	6	3	2	9
6	2	3	9	7	8	4	5	1
5	7	4	1	2	3	9	8	6
3	6	8	7	4	9	5	1	2
1	9	2	6	8	5	7	3	4

26

1	2	6	7	3	4	5	8	9
8	5	3	1	2	9	4	6	7
7	4	9	6	8	5	3	1	2
5	1	2	9	4	6	8	7	3
6	9	8	3	7	1	2	5	4
4	3	7	2	5	8	1	9	6
3	8	1	4	6	7	9	2	5
9	6	4	5	1	2	7	3	8
2	7	5	8	9	3	6	4	1

27

3	8	9	7	2	4	5	1	6
1	2	5	6	8	9	7	4	3
4	6	7	1	3	5	2	8	9
7	5	4	8	9	3	1	6	2
8	9	1	5	6	2	4	3	7
6	3	2	4	7	1	8	9	5
5	7	6	9	1	8	3	2	4
2	4	8	3	5	6	9	7	1
9	1	3	2	4	7	6	5	8

28

9	6	3	7	1	5	4	8	2
1	8	7	4	3	2	5	9	6
5	2	4	6	9	8	3	1	7
7	9	1	8	2	4	6	5	3
2	4	6	9	5	3	8	7	1
8	3	5	1	7	6	2	4	9
4	1	2	5	6	9	7	3	8
6	7	8	3	4	1	9	2	5
3	5	9	2	8	7	1	6	4

29

2	1	7	3	8	5	4	6	9
3	8	5	4	6	9	7	1	2
4	9	6	7	2	1	8	3	5
5	2	4	8	1	6	9	7	3
6	3	9	5	4	7	2	8	1
8	7	1	2	9	3	5	4	6
7	6	2	1	5	8	3	9	4
9	5	3	6	7	4	1	2	8
1	4	8	9	3	2	6	5	7

30

8	5	2	9	4	3	7	6	1
9	1	4	6	7	8	3	5	2
3	6	7	2	5	1	9	4	8
2	9	3	1	6	5	8	7	4
1	7	6	8	9	4	2	3	5
4	8	5	3	2	7	1	9	6
5	3	1	4	8	9	6	2	7
6	4	9	7	1	2	5	8	3
7	2	8	5	3	6	4	1	9

31

3	4	6	5	9	8	2	7	1
5	1	8	2	3	7	9	4	6
2	9	7	6	1	4	3	8	5
8	5	1	4	6	9	7	3	2
9	7	3	8	5	2	1	6	4
4	6	2	3	7	1	5	9	8
7	3	5	1	8	6	4	2	9
6	2	9	7	4	5	8	1	3
1	8	4	9	2	3	6	5	7

32

2	6	8	1	3	5	4	7	9
5	9	4	7	6	8	2	1	3
1	3	7	4	9	2	5	8	6
3	8	6	5	2	4	1	9	7
9	4	1	6	8	7	3	2	5
7	5	2	3	1	9	6	4	8
6	1	9	2	7	3	8	5	4
4	7	3	8	5	1	9	6	2
8	2	5	9	4	6	7	3	1

33

2	5	1	6	3	7	8	4	9
8	7	6	4	9	5	2	1	3
9	4	3	1	2	8	6	7	5
4	2	8	9	5	1	3	6	7
6	1	9	3	7	4	5	8	2
5	3	7	8	6	2	4	9	1
3	8	5	7	1	6	9	2	4
7	9	4	2	8	3	1	5	6
1	6	2	5	4	9	7	3	8

34

8	3	6	7	1	9	4	5	2
1	5	4	8	6	2	9	3	7
7	2	9	3	5	4	8	1	6
2	6	1	9	4	3	7	8	5
5	9	7	1	2	8	6	4	3
3	4	8	5	7	6	2	9	1
4	7	3	6	9	5	1	2	8
6	8	2	4	3	1	5	7	9
9	1	5	2	8	7	3	6	4

35

9	5	1	7	3	6	4	2	8
4	7	3	5	2	8	9	6	1
2	8	6	4	9	1	5	7	3
6	2	5	9	8	4	1	3	7
8	1	9	3	7	5	6	4	2
3	4	7	1	6	2	8	9	5
5	6	8	2	4	7	3	1	9
1	9	2	6	5	3	7	8	4
7	3	4	8	1	9	2	5	6

36

3	6	2	8	1	7	5	9	4
1	9	8	4	6	5	7	2	3
4	7	5	9	3	2	8	1	6
2	8	4	1	5	9	3	6	7
7	5	6	2	8	3	1	4	9
9	3	1	7	4	6	2	5	8
6	4	7	3	2	1	9	8	5
8	1	3	5	9	4	6	7	2
5	2	9	6	7	8	4	3	1

37

9	1	3	6	8	2	7	5	4
5	6	7	4	9	3	2	1	8
8	4	2	1	5	7	6	9	3
3	5	8	9	7	1	4	2	6
1	2	4	5	3	6	9	8	7
7	9	6	2	4	8	1	3	5
2	7	9	3	6	5	8	4	1
4	8	5	7	1	9	3	6	2
6	3	1	8	2	4	5	7	9

38

8	2	5	1	3	9	7	6	4
9	3	7	6	8	4	2	5	1
1	6	4	7	5	2	3	8	9
7	5	3	4	2	6	1	9	8
2	4	9	8	1	3	5	7	6
6	1	8	9	7	5	4	3	2
4	7	1	5	6	8	9	2	3
3	9	6	2	4	7	8	1	5
5	8	2	3	9	1	6	4	7

39

4	3	9	7	1	5	8	2	6
8	1	6	2	3	9	5	4	7
7	5	2	4	6	8	1	3	9
5	8	4	9	7	1	3	6	2
6	7	1	3	5	2	4	9	8
9	2	3	8	4	6	7	5	1
2	6	5	1	8	4	9	7	3
3	4	8	6	9	7	2	1	5
1	9	7	5	2	3	6	8	4

40

6	7	4	8	5	3	9	2	1
2	9	3	7	4	1	8	6	5
8	5	1	6	2	9	3	4	7
4	3	6	9	1	8	5	7	2
9	8	2	5	6	7	4	1	3
5	1	7	2	3	4	6	8	9
3	2	9	4	7	6	1	5	8
7	4	8	1	9	5	2	3	6
1	6	5	3	8	2	7	9	4

41

5	3	8	9	4	7	6	1	2
2	4	7	6	1	3	5	8	9
1	9	6	8	5	2	3	4	7
4	5	3	2	6	1	7	9	8
8	2	9	7	3	5	4	6	1
6	7	1	4	8	9	2	3	5
3	1	4	5	2	8	9	7	6
9	6	5	1	7	4	8	2	3
7	8	2	3	9	6	1	5	4

42

4	8	2	5	7	3	6	9	1
1	5	3	2	6	9	4	7	8
9	7	6	8	1	4	3	5	2
6	1	4	3	9	7	8	2	5
7	3	5	1	8	2	9	6	4
8	2	9	4	5	6	7	1	3
5	6	1	9	3	8	2	4	7
3	4	7	6	2	5	1	8	9
2	9	8	7	4	1	5	3	6

43

4	2	9	8	1	3	5	6	7
5	1	6	4	7	2	9	3	8
7	8	3	6	5	9	2	4	1
6	7	2	1	3	4	8	5	9
3	9	5	2	8	6	1	7	4
8	4	1	7	9	5	6	2	3
1	5	8	3	6	7	4	9	2
9	3	4	5	2	8	7	1	6
2	6	7	9	4	1	3	8	5

44

7	2	8	3	5	6	4	9	1
4	3	5	7	1	9	6	8	2
6	1	9	2	8	4	5	7	3
1	8	7	6	9	2	3	5	4
3	6	4	1	7	5	9	2	8
9	5	2	4	3	8	7	1	6
8	4	6	5	2	7	1	3	9
5	9	3	8	6	1	2	4	7
2	7	1	9	4	3	8	6	5

45

1	2	7	4	8	9	3	5	6
3	6	8	5	2	7	1	9	4
9	4	5	6	3	1	2	7	8
8	9	3	2	1	5	4	6	7
2	7	4	8	6	3	5	1	9
5	1	6	7	9	4	8	3	2
4	3	2	1	7	6	9	8	5
7	5	9	3	4	8	6	2	1
6	8	1	9	5	2	7	4	3

46

9	7	4	3	2	6	1	5	8
8	2	5	7	1	9	4	6	3
1	6	3	5	4	8	7	2	9
4	5	7	6	8	2	9	3	1
6	3	1	9	7	4	5	8	2
2	9	8	1	5	3	6	4	7
3	4	6	2	9	7	8	1	5
5	8	9	4	3	1	2	7	6
7	1	2	8	6	5	3	9	4

47

1	8	7	2	9	6	4	5	3
9	3	5	7	1	4	2	8	6
6	4	2	5	3	8	7	1	9
2	6	8	4	7	9	1	3	5
4	5	3	6	8	1	9	2	7
7	1	9	3	2	5	8	6	4
8	9	6	1	4	3	5	7	2
5	2	1	9	6	7	3	4	8
3	7	4	8	5	2	6	9	1

48

3	2	7	1	5	6	4	8	9
4	1	9	3	8	7	5	6	2
8	5	6	9	2	4	7	3	1
1	8	3	2	4	5	9	7	6
9	7	5	8	6	1	3	2	4
2	6	4	7	9	3	8	1	5
5	9	2	6	3	8	1	4	7
7	4	8	5	1	2	6	9	3
6	3	1	4	7	9	2	5	8

49

8	6	2	3	7	1	5	9	4
3	1	5	9	4	6	2	7	8
4	9	7	2	8	5	6	3	1
6	3	9	4	2	8	7	1	5
2	5	4	6	1	7	3	8	9
1	7	8	5	3	9	4	6	2
9	2	3	1	6	4	8	5	7
5	8	6	7	9	2	1	4	3
7	4	1	8	5	3	9	2	6

50

5	7	1	9	3	6	4	2	8
2	8	9	7	4	1	3	6	5
3	6	4	5	8	2	7	1	9
1	4	3	8	7	5	6	9	2
9	5	8	2	6	3	1	7	4
6	2	7	4	1	9	5	8	3
4	9	5	6	2	7	8	3	1
7	1	2	3	5	8	9	4	6
8	3	6	1	9	4	2	5	7

51

7	2	8	3	5	6	4	9	1
4	3	5	7	1	9	6	8	2
6	1	9	2	8	4	5	7	3
1	8	7	6	9	2	3	5	4
3	6	4	1	7	5	9	2	8
9	5	2	4	3	8	7	1	6
8	4	6	5	2	7	1	3	9
5	9	3	8	6	1	2	4	7
2	7	1	9	4	3	8	6	5

52

8	5	4	6	3	9	1	7	2
2	9	6	1	4	7	3	8	5
7	3	1	2	8	5	4	9	6
5	8	9	4	7	2	6	3	1
3	4	7	5	1	6	8	2	9
6	1	2	3	9	8	7	5	4
9	6	3	8	2	4	5	1	7
4	2	8	7	5	1	9	6	3
1	7	5	9	6	3	2	4	8

53

6	2	1	4	9	8	7	5	3
4	9	5	7	3	6	1	8	2
3	8	7	1	2	5	9	4	6
2	1	3	8	7	9	5	6	4
5	7	6	3	4	1	8	2	9
8	4	9	5	6	2	3	7	1
7	6	8	9	1	4	2	3	5
9	3	2	6	5	7	4	1	8
1	5	4	2	8	3	6	9	7

54

4	5	3	9	8	1	6	2	7
8	7	1	2	6	4	5	9	3
9	2	6	5	7	3	1	4	8
2	3	8	6	1	5	9	7	4
1	9	7	8	4	2	3	5	6
6	4	5	3	9	7	8	1	2
3	6	2	4	5	9	7	8	1
5	1	4	7	3	8	2	6	9
7	8	9	1	2	6	4	3	5

55

6	9	7	2	4	1	8	5	3
4	8	5	9	3	7	2	6	1
2	1	3	5	8	6	7	4	9
8	2	6	3	9	4	1	7	5
7	5	4	1	2	8	9	3	6
9	3	1	7	6	5	4	2	8
1	6	8	4	7	3	5	9	2
3	4	9	8	5	2	6	1	7
5	7	2	6	1	9	3	8	4

56

2	6	3	8	9	5	1	4	7
9	8	4	1	7	3	6	2	5
1	7	5	4	6	2	9	8	3
6	4	2	9	3	1	5	7	8
5	9	8	2	4	7	3	1	6
7	3	1	5	8	6	4	9	2
8	5	9	6	2	4	7	3	1
4	1	7	3	5	8	2	6	9
3	2	6	7	1	9	8	5	4

57

2	4	9	3	8	5	1	7	6
5	8	6	9	7	1	4	2	3
3	1	7	6	4	2	8	5	9
4	2	1	7	3	6	9	8	5
6	5	3	8	2	9	7	1	4
7	9	8	5	1	4	3	6	2
9	7	2	4	6	8	5	3	1
8	6	4	1	5	3	2	9	7
1	3	5	2	9	7	6	4	8

58

6	3	4	9	5	7	1	8	2
9	8	1	6	2	4	5	7	3
5	7	2	1	8	3	6	9	4
7	2	5	4	3	9	8	6	1
1	9	6	8	7	2	4	3	5
3	4	8	5	6	1	7	2	9
4	1	7	3	9	8	2	5	6
2	5	9	7	1	6	3	4	8
8	6	3	2	4	5	9	1	7

59

5	9	6	1	4	7	3	8	2
3	2	8	5	9	6	4	1	7
4	1	7	8	3	2	5	9	6
2	7	1	3	8	9	6	5	4
6	4	5	2	7	1	9	3	8
8	3	9	6	5	4	2	7	1
9	6	2	7	1	3	8	4	5
1	8	4	9	6	5	7	2	3
7	5	3	4	2	8	1	6	9

60

7	5	1	8	6	3	9	2	4
8	3	2	4	1	9	6	5	7
9	4	6	7	5	2	3	8	1
5	2	8	1	9	7	4	3	6
3	6	7	2	8	4	1	9	5
1	9	4	6	3	5	2	7	8
4	8	5	9	2	1	7	6	3
2	1	3	5	7	6	8	4	9
6	7	9	3	4	8	5	1	2

61

2	4	1	7	3	8	5	6	9
9	6	8	4	5	1	2	7	3
3	5	7	2	9	6	1	8	4
7	8	2	5	1	3	4	9	6
6	9	5	8	4	2	7	3	1
4	1	3	9	6	7	8	5	2
8	7	4	6	2	9	3	1	5
1	2	6	3	7	5	9	4	8
5	3	9	1	8	4	6	2	7

62

5	2	7	9	3	6	1	4	8
8	9	3	7	4	1	6	2	5
1	6	4	5	8	2	7	3	9
7	3	6	2	1	8	5	9	4
2	4	1	3	5	9	8	7	6
9	8	5	4	6	7	2	1	3
4	5	8	1	2	3	9	6	7
3	1	9	6	7	5	4	8	2
6	7	2	8	9	4	3	5	1

63

2	5	1	6	3	7	8	4	9
8	7	6	4	9	5	2	1	3
9	4	3	1	2	8	6	7	5
4	2	8	9	5	1	3	6	7
6	1	9	3	7	4	5	8	2
5	3	7	8	6	2	4	9	1
3	8	5	7	1	6	9	2	4
7	9	4	2	8	3	1	5	6
1	6	2	5	4	9	7	3	8

64

9	5	2	8	7	4	1	3	6
4	6	3	2	5	1	8	9	7
1	7	8	9	3	6	5	4	2
5	2	7	4	1	9	6	8	3
3	8	4	7	6	5	2	1	9
6	9	1	3	2	8	7	5	4
2	3	9	1	8	7	4	6	5
8	4	6	5	9	2	3	7	1
7	1	5	6	4	3	9	2	8

65

8	2	3	7	6	1	4	5	9
7	4	5	2	9	3	6	8	1
6	1	9	5	4	8	2	7	3
2	5	1	9	7	6	8	3	4
4	3	6	1	8	2	5	9	7
9	8	7	4	3	5	1	2	6
1	9	2	3	5	4	7	6	8
3	6	4	8	2	7	9	1	5
5	7	8	6	1	9	3	4	2

66

1	6	4	9	3	2	5	8	7
3	2	8	6	5	7	1	9	4
7	5	9	4	1	8	3	6	2
5	7	2	1	6	4	8	3	9
6	9	3	8	2	5	4	7	1
8	4	1	7	9	3	2	5	6
4	3	5	2	7	6	9	1	8
2	1	7	5	8	9	6	4	3
9	8	6	3	4	1	7	2	5

67

6	7	9	5	4	8	2	1	3
4	1	8	2	6	3	5	9	7
3	2	5	9	1	7	6	4	8
7	9	4	8	3	2	1	6	5
1	5	2	6	7	4	8	3	9
8	6	3	1	5	9	4	7	2
9	4	1	7	2	5	3	8	6
2	3	7	4	8	6	9	5	1
5	8	6	3	9	1	7	2	4

68

7	5	1	8	6	3	9	2	4
8	3	2	4	1	9	6	5	7
9	4	6	7	5	2	3	8	1
5	2	8	1	9	7	4	3	6
3	6	7	2	8	4	1	9	5
1	9	4	6	3	5	2	7	8
4	8	5	9	2	1	7	6	3
2	1	3	5	7	6	8	4	9
6	7	9	3	4	8	5	1	2

69

7	9	3	6	8	5	2	1	4
1	2	5	3	7	4	6	8	9
6	4	8	1	2	9	5	7	3
9	7	4	2	6	1	3	5	8
8	5	1	7	9	3	4	6	2
3	6	2	5	4	8	7	9	1
4	1	7	8	5	2	9	3	6
5	8	9	4	3	6	1	2	7
2	3	6	9	1	7	8	4	5

70

2	7	3	8	6	9	1	4	5
4	6	1	3	2	5	8	7	9
8	5	9	4	7	1	2	3	6
7	1	6	9	4	3	5	2	8
3	4	5	2	8	6	7	9	1
9	8	2	1	5	7	3	6	4
5	2	4	6	3	8	9	1	7
6	9	8	7	1	2	4	5	3
1	3	7	5	9	4	6	8	2

71

2	1	8	9	4	3	6	7	5
7	9	6	8	5	1	4	3	2
4	5	3	6	7	2	1	8	9
5	8	7	1	2	6	3	9	4
9	2	1	5	3	4	8	6	7
6	3	4	7	9	8	5	2	1
8	6	2	4	1	9	7	5	3
3	4	5	2	6	7	9	1	8
1	7	9	3	8	5	2	4	6

72

2	1	8	4	3	5	9	7	6
3	7	9	1	2	6	8	5	4
6	5	4	9	8	7	2	1	3
1	8	7	3	6	2	4	9	5
5	4	3	8	1	9	6	2	7
9	6	2	7	5	4	3	8	1
8	9	6	5	4	1	7	3	2
7	2	1	6	9	3	5	4	8
4	3	5	2	7	8	1	6	9

Solutions

73

3	5	8	9	6	1	2	4	7
7	6	9	4	5	2	3	1	8
2	4	1	3	8	7	5	6	9
5	2	3	6	7	4	9	8	1
1	7	4	2	9	8	6	3	5
8	9	6	1	3	5	7	2	4
9	8	2	5	4	6	1	7	3
6	3	7	8	1	9	4	5	2
4	1	5	7	2	3	8	9	6

74

1	4	9	6	7	2	8	5	3
3	6	8	1	5	9	7	4	2
2	5	7	4	8	3	6	9	1
6	1	4	2	9	8	3	7	5
9	7	2	5	3	4	1	6	8
8	3	5	7	6	1	9	2	4
4	9	3	8	2	6	5	1	7
5	8	1	9	4	7	2	3	6
7	2	6	3	1	5	4	8	9

75

6	7	3	9	1	2	4	5	8
1	5	4	8	3	6	7	2	9
2	8	9	4	5	7	3	1	6
9	1	6	2	7	4	5	8	3
7	3	5	1	6	8	2	9	4
8	4	2	3	9	5	1	6	7
5	2	8	7	4	9	6	3	1
3	6	7	5	8	1	9	4	2
4	9	1	6	2	3	8	7	5

76

3	2	4	8	9	1	6	5	7
6	9	7	2	3	5	4	1	8
5	1	8	4	6	7	3	9	2
1	4	6	7	2	8	5	3	9
7	3	9	6	5	4	2	8	1
8	5	2	3	1	9	7	6	4
4	8	5	9	7	6	1	2	3
9	6	3	1	4	2	8	7	5
2	7	1	5	8	3	9	4	6

77

1	2	4	7	5	3	6	8	9
3	7	8	9	6	4	2	5	1
5	9	6	8	1	2	3	4	7
6	3	9	5	2	7	8	1	4
8	1	2	3	4	9	7	6	5
7	4	5	6	8	1	9	2	3
4	8	3	1	7	6	5	9	2
2	6	7	4	9	5	1	3	8
9	5	1	2	3	8	4	7	6

78

6	4	2	9	5	7	3	8	1
8	5	1	2	3	6	7	4	9
7	9	3	8	4	1	5	6	2
9	1	5	3	6	4	2	7	8
4	7	8	5	1	2	6	9	3
3	2	6	7	9	8	4	1	5
1	3	9	6	7	5	8	2	4
2	6	4	1	8	3	9	5	7
5	8	7	4	2	9	1	3	6

79

9	4	7	2	6	8	1	5	3
8	1	5	4	3	7	6	2	9
2	6	3	9	5	1	4	8	7
1	3	2	7	8	4	5	9	6
6	5	4	3	9	2	8	7	1
7	8	9	6	1	5	2	3	4
3	9	1	5	2	6	7	4	8
5	7	8	1	4	3	9	6	2
4	2	6	8	7	9	3	1	5

80

3	1	5	6	9	8	2	4	7
6	9	2	7	3	4	5	1	8
8	4	7	5	1	2	9	3	6
2	7	1	9	8	5	4	6	3
5	3	8	4	2	6	1	7	9
9	6	4	1	7	3	8	2	5
1	5	6	8	4	7	3	9	2
4	8	3	2	6	9	7	5	1
7	2	9	3	5	1	6	8	4

81

9	1	2	3	6	7	4	5	8
4	8	5	2	9	1	3	6	7
7	3	6	4	8	5	1	2	9
6	5	8	1	7	9	2	4	3
1	7	4	8	2	3	5	9	6
3	2	9	6	5	4	7	8	1
8	4	3	9	1	2	6	7	5
2	9	7	5	3	6	8	1	4
5	6	1	7	4	8	9	3	2

82

6	9	3	8	1	2	5	4	7
5	4	8	6	7	9	1	3	2
7	1	2	5	3	4	9	8	6
9	8	1	3	2	7	4	6	5
2	3	5	1	4	6	7	9	8
4	6	7	9	8	5	2	1	3
8	7	4	2	9	3	6	5	1
3	5	9	7	6	1	8	2	4
1	2	6	4	5	8	3	7	9

83

9	4	7	2	6	8	1	5	3
8	1	5	4	3	7	6	2	9
2	6	3	9	5	1	4	8	7
1	3	2	7	8	4	5	9	6
6	5	4	3	9	2	8	7	1
7	8	9	6	1	5	2	3	4
3	9	1	5	2	6	7	4	8
5	7	8	1	4	3	9	6	2
4	2	6	8	7	9	3	1	5

84

3	8	9	7	2	4	5	1	6
1	2	5	6	8	9	7	4	3
4	6	7	1	3	5	2	8	9
7	5	4	8	9	3	1	6	2
8	9	1	5	6	2	4	3	7
6	3	2	4	7	1	8	9	5
5	7	6	9	1	8	3	2	4
2	4	8	3	5	6	9	7	1
9	1	3	2	4	7	6	5	8

85

1	3	2	4	5	8	7	9	6
4	8	6	7	9	1	5	2	3
7	5	9	3	2	6	1	4	8
5	1	4	8	6	3	2	7	9
6	2	7	5	4	9	8	3	1
3	9	8	1	7	2	4	6	5
9	7	5	6	1	4	3	8	2
2	4	3	9	8	5	6	1	7
8	6	1	2	3	7	9	5	4

86

2	3	5	1	8	9	4	7	6
7	9	6	4	3	2	5	8	1
4	8	1	7	5	6	3	9	2
6	1	9	8	7	3	2	4	5
5	4	7	6	2	1	8	3	9
8	2	3	5	9	4	6	1	7
9	6	4	2	1	8	7	5	3
3	7	8	9	6	5	1	2	4
1	5	2	3	4	7	9	6	8

87

2	4	9	3	8	5	1	7	6
5	8	6	9	7	1	4	2	3
3	1	7	6	4	2	8	5	9
4	2	1	7	3	6	9	8	5
6	5	3	8	2	9	7	1	4
7	9	8	5	1	4	3	6	2
9	7	2	4	6	8	5	3	1
8	6	4	1	5	3	2	9	7
1	3	5	2	9	7	6	4	8

88

9	5	7	6	8	4	2	1	3
1	8	4	3	5	2	6	7	9
6	3	2	1	9	7	4	8	5
5	4	9	2	1	6	8	3	7
8	2	3	7	4	5	9	6	1
7	6	1	9	3	8	5	2	4
3	1	8	4	6	9	7	5	2
2	9	5	8	7	1	3	4	6
4	7	6	5	2	3	1	9	8

89

4	3	9	7	1	5	8	2	6
8	1	6	2	3	9	5	4	7
7	5	2	4	6	8	1	3	9
5	8	4	9	7	1	3	6	2
6	7	1	3	5	2	4	9	8
9	2	3	8	4	6	7	5	1
2	6	5	1	8	4	9	7	3
3	4	8	6	9	7	2	1	5
1	9	7	5	2	3	6	8	4

90

4	2	9	3	7	1	8	5	6
6	5	8	4	2	9	7	1	3
1	7	3	5	6	8	2	9	4
2	8	6	9	5	7	3	4	1
7	9	1	2	4	3	5	6	8
5	3	4	1	8	6	9	7	2
3	6	2	7	9	4	1	8	5
8	1	7	6	3	5	4	2	9
9	4	5	8	1	2	6	3	7

91

8	7	2	4	6	1	5	3	9
9	4	3	5	7	8	6	2	1
5	6	1	3	2	9	4	8	7
2	8	7	6	1	5	9	4	3
3	5	4	7	9	2	1	6	8
6	1	9	8	4	3	7	5	2
4	9	8	2	5	7	3	1	6
1	3	6	9	8	4	2	7	5
7	2	5	1	3	6	8	9	4

92

9	3	5	4	6	7	8	1	2
8	4	2	9	5	1	7	6	3
6	1	7	2	3	8	9	5	4
1	5	4	7	2	9	3	8	6
3	2	9	8	1	6	4	7	5
7	6	8	3	4	5	2	9	1
4	7	1	5	8	3	6	2	9
2	8	6	1	9	4	5	3	7
5	9	3	6	7	2	1	4	8

93

6	7	9	8	1	4	5	2	3
4	5	8	9	3	2	6	1	7
3	2	1	5	6	7	4	9	8
2	1	6	7	5	9	3	8	4
8	3	7	2	4	1	9	5	6
5	9	4	6	8	3	2	7	1
7	4	3	1	2	5	8	6	9
9	6	2	3	7	8	1	4	5
1	8	5	4	9	6	7	3	2

94

2	9	4	7	3	5	6	8	1
7	3	8	4	6	1	2	9	5
5	6	1	9	2	8	4	7	3
6	8	9	2	7	3	1	5	4
1	5	3	6	8	4	7	2	9
4	7	2	5	1	9	8	3	6
9	2	7	1	5	6	3	4	8
3	4	6	8	9	2	5	1	7
8	1	5	3	4	7	9	6	2

95

1	2	4	7	5	3	6	8	9
3	7	8	9	6	4	2	5	1
5	9	6	8	1	2	3	4	7
6	3	9	5	2	7	8	1	4
8	1	2	3	4	9	7	6	5
7	4	5	6	8	1	9	2	3
4	8	3	1	7	6	5	9	2
2	6	7	4	9	5	1	3	8
9	5	1	2	3	8	4	7	6

96

3	7	5	1	6	2	4	8	9
8	6	1	4	9	3	5	2	7
2	4	9	7	8	5	1	6	3
4	9	3	8	5	7	6	1	2
7	1	6	2	4	9	8	3	5
5	2	8	3	1	6	7	9	4
6	5	7	9	2	1	3	4	8
1	8	2	5	3	4	9	7	6
9	3	4	6	7	8	2	5	1

97

5	2	4	3	1	7	8	6	9
3	1	7	6	8	9	4	5	2
8	9	6	4	2	5	1	3	7
2	8	1	9	3	6	5	7	4
4	6	5	8	7	2	3	9	1
9	7	3	5	4	1	6	2	8
7	5	8	1	9	3	2	4	6
6	4	9	2	5	8	7	1	3
1	3	2	7	6	4	9	8	5

98

1	8	7	2	9	6	4	5	3
9	3	5	7	1	4	2	8	6
6	4	2	5	3	8	7	1	9
2	6	8	4	7	9	1	3	5
4	5	3	6	8	1	9	2	7
7	1	9	3	2	5	8	6	4
8	9	6	1	4	3	5	7	2
5	2	1	9	6	7	3	4	8
3	7	4	8	5	2	6	9	1

99

6	4	2	9	5	7	3	8	1
8	5	1	2	3	6	7	4	9
7	9	3	8	4	1	5	6	2
9	1	5	3	6	4	2	7	8
4	7	8	5	1	2	6	9	3
3	2	6	7	9	8	4	1	5
1	3	9	6	7	5	8	2	4
2	6	4	1	8	3	9	5	7
5	8	7	4	2	9	1	3	6

100

3	4	1	2	5	7	8	6	9
8	9	6	4	3	1	5	2	7
2	7	5	6	8	9	3	4	1
7	5	2	9	4	8	1	3	6
4	3	9	1	7	6	2	5	8
6	1	8	3	2	5	7	9	4
5	6	3	8	1	4	9	7	2
9	8	7	5	6	2	4	1	3
1	2	4	7	9	3	6	8	5

101

5	7	9	6	3	4	1	2	8
1	8	6	9	2	7	4	5	3
3	4	2	8	1	5	7	6	9
4	2	1	3	7	8	5	9	6
9	3	5	4	6	1	8	7	2
7	6	8	5	9	2	3	4	1
8	1	7	2	5	6	9	3	4
6	5	3	1	4	9	2	8	7
2	9	4	7	8	3	6	1	5

102

5	9	6	2	4	3	8	1	7
1	3	2	8	7	9	4	6	5
8	4	7	5	1	6	9	2	3
3	5	1	4	6	7	2	9	8
2	8	4	1	9	5	3	7	6
7	6	9	3	2	8	5	4	1
9	7	8	6	5	4	1	3	2
4	2	5	7	3	1	6	8	9
6	1	3	9	8	2	7	5	4

103

9	2	6	1	7	4	3	5	8
7	3	5	8	2	6	1	4	9
4	8	1	9	3	5	6	2	7
3	6	9	5	8	7	2	1	4
8	1	2	4	9	3	7	6	5
5	4	7	2	6	1	9	8	3
6	9	8	3	4	2	5	7	1
2	5	3	7	1	8	4	9	6
1	7	4	6	5	9	8	3	2

104

9	1	8	3	5	4	7	2	6
3	4	5	6	7	2	1	8	9
2	6	7	1	8	9	3	4	5
1	8	4	7	3	5	9	6	2
5	3	2	9	6	8	4	7	1
7	9	6	2	4	1	5	3	8
6	5	3	8	9	7	2	1	4
8	2	9	4	1	3	6	5	7
4	7	1	5	2	6	8	9	3

105

1	2	4	7	5	3	6	8	9
3	7	8	9	6	4	2	5	1
5	9	6	8	1	2	3	4	7
6	3	9	5	2	7	8	1	4
8	1	2	3	4	9	7	6	5
7	4	5	6	8	1	9	2	3
4	8	3	1	7	6	5	9	2
2	6	7	4	9	5	1	3	8
9	5	1	2	3	8	4	7	6

106

6	7	4	8	5	3	9	2	1
2	9	3	7	4	1	8	6	5
8	5	1	6	2	9	3	4	7
4	3	6	9	1	8	5	7	2
9	8	2	5	6	7	4	1	3
5	1	7	2	3	4	6	8	9
3	2	9	4	7	6	1	5	8
7	4	8	1	9	5	2	3	6
1	6	5	3	8	2	7	9	4

107

5	3	9	8	2	7	1	6	4
2	7	1	4	3	6	8	9	5
6	4	8	1	9	5	2	3	7
4	6	7	5	1	3	9	8	2
1	8	2	9	7	4	3	5	6
3	9	5	2	6	8	7	4	1
7	5	4	3	8	2	6	1	9
9	2	3	6	5	1	4	7	8
8	1	6	7	4	9	5	2	3

108

2	3	5	8	1	7	9	4	6
9	4	8	6	5	2	1	7	3
1	6	7	3	9	4	5	2	8
3	7	9	4	8	5	2	6	1
8	2	1	9	6	3	4	5	7
6	5	4	7	2	1	8	3	9
7	1	2	5	3	8	6	9	4
5	9	3	1	4	6	7	8	2
4	8	6	2	7	9	3	1	5

109

5	4	2	9	6	8	1	3	7
3	9	1	4	2	7	6	8	5
6	7	8	5	3	1	4	2	9
9	8	3	6	7	4	5	1	2
2	5	7	1	8	9	3	6	4
4	1	6	3	5	2	9	7	8
1	2	5	7	9	3	8	4	6
7	6	4	8	1	5	2	9	3
8	3	9	2	4	6	7	5	1

110

7	3	6	5	9	8	2	4	1
9	1	8	2	4	3	6	7	5
5	2	4	7	6	1	3	9	8
8	7	1	9	2	5	4	6	3
2	5	9	4	3	6	8	1	7
6	4	3	1	8	7	9	5	2
4	8	7	6	5	2	1	3	9
3	6	5	8	1	9	7	2	4
1	9	2	3	7	4	5	8	6

111

2	6	8	7	4	1	5	3	9
4	5	1	3	9	6	8	2	7
3	7	9	8	5	2	6	1	4
6	4	7	5	2	3	1	9	8
1	3	5	6	8	9	7	4	2
9	8	2	4	1	7	3	5	6
5	1	4	2	6	8	9	7	3
8	2	3	9	7	5	4	6	1
7	9	6	1	3	4	2	8	5

112

1	2	8	7	9	5	3	6	4
4	9	3	6	1	8	2	7	5
6	5	7	3	2	4	1	9	8
5	3	1	9	8	7	4	2	6
9	8	2	5	4	6	7	3	1
7	6	4	1	3	2	8	5	9
8	1	9	2	6	3	5	4	7
3	7	6	4	5	1	9	8	2
2	4	5	8	7	9	6	1	3

113

7	9	3	8	1	4	6	2	5
8	6	4	5	2	3	7	9	1
1	2	5	7	6	9	4	3	8
4	8	6	3	9	1	5	7	2
3	5	7	2	8	6	1	4	9
2	1	9	4	7	5	3	8	6
6	3	1	9	4	8	2	5	7
9	4	2	6	5	7	8	1	3
5	7	8	1	3	2	9	6	4

114

9	2	4	6	1	8	5	3	7
5	7	3	4	2	9	1	8	6
6	8	1	3	5	7	2	4	9
2	4	5	8	9	1	7	6	3
3	6	7	2	4	5	8	9	1
1	9	8	7	6	3	4	2	5
4	5	9	1	3	2	6	7	8
8	1	6	9	7	4	3	5	2
7	3	2	5	8	6	9	1	4

115

8	5	3	1	4	2	7	6	9
7	2	1	8	6	9	3	5	4
4	6	9	5	3	7	8	2	1
2	8	7	4	9	5	6	1	3
6	9	4	2	1	3	5	7	8
1	3	5	6	7	8	4	9	2
9	7	8	3	2	6	1	4	5
5	1	6	9	8	4	2	3	7
3	4	2	7	5	1	9	8	6

116

1	6	8	3	4	9	7	2	5
4	7	9	2	5	8	6	3	1
3	2	5	1	6	7	8	4	9
6	1	7	4	9	5	2	8	3
9	3	2	6	8	1	4	5	7
8	5	4	7	3	2	9	1	6
7	4	6	5	2	3	1	9	8
5	9	1	8	7	4	3	6	2
2	8	3	9	1	6	5	7	4

117

2	3	5	8	1	7	9	4	6
9	4	8	6	5	2	1	7	3
1	6	7	3	9	4	5	2	8
3	7	9	4	8	5	2	6	1
8	2	1	9	6	3	4	5	7
6	5	4	7	2	1	8	3	9
7	1	2	5	3	8	6	9	4
5	9	3	1	4	6	7	8	2
4	8	6	2	7	9	3	1	5

118

3	4	1	7	2	5	6	9	8
6	5	9	3	1	8	2	4	7
7	8	2	9	4	6	5	1	3
2	6	5	8	7	4	9	3	1
9	3	8	2	6	1	4	7	5
1	7	4	5	9	3	8	6	2
5	2	7	4	3	9	1	8	6
8	9	6	1	5	7	3	2	4
4	1	3	6	8	2	7	5	9

119

2	1	3	9	7	4	6	8	5
6	9	5	8	2	1	4	7	3
7	8	4	3	5	6	1	2	9
5	7	8	2	1	3	9	4	6
3	2	6	4	9	7	5	1	8
1	4	9	5	6	8	2	3	7
9	3	2	7	4	5	8	6	1
8	5	1	6	3	2	7	9	4
4	6	7	1	8	9	3	5	2

120

9	4	3	6	1	8	2	7	5
1	6	7	5	2	9	4	8	3
8	2	5	3	4	7	1	6	9
4	3	6	8	5	2	7	9	1
7	5	8	4	9	1	6	3	2
2	9	1	7	3	6	8	5	4
3	8	9	2	6	4	5	1	7
5	7	4	1	8	3	9	2	6
6	1	2	9	7	5	3	4	8

121

9	4	3	5	2	7	6	8	1
7	1	6	3	9	8	2	4	5
5	2	8	1	4	6	9	7	3
1	5	2	6	8	3	4	9	7
4	6	9	7	5	2	1	3	8
3	8	7	9	1	4	5	2	6
8	9	5	4	3	1	7	6	2
2	7	1	8	6	9	3	5	4
6	3	4	2	7	5	8	1	9

122

4	6	8	1	2	9	5	7	3
5	1	2	7	6	3	4	8	9
3	7	9	8	4	5	6	1	2
1	3	4	2	5	7	8	9	6
6	8	7	4	9	1	3	2	5
2	9	5	6	3	8	7	4	1
8	4	3	5	1	2	9	6	7
9	2	6	3	7	4	1	5	8
7	5	1	9	8	6	2	3	4

123

4	5	1	6	2	8	7	9	3
9	8	7	5	3	1	2	6	4
2	6	3	7	9	4	1	5	8
6	7	9	3	4	5	8	2	1
1	2	4	9	8	6	3	7	5
8	3	5	1	7	2	9	4	6
3	9	6	4	1	7	5	8	2
5	1	2	8	6	9	4	3	7
7	4	8	2	5	3	6	1	9

124

7	6	4	8	1	2	3	9	5
8	5	3	9	6	4	1	7	2
9	2	1	3	7	5	6	8	4
1	4	6	2	9	8	5	3	7
5	8	7	1	4	3	2	6	9
2	3	9	7	5	6	8	4	1
6	7	2	5	3	9	4	1	8
3	9	5	4	8	1	7	2	6
4	1	8	6	2	7	9	5	3

125

9	8	4	7	6	2	5	3	1
3	1	6	8	5	4	2	7	9
5	7	2	1	9	3	8	6	4
1	3	8	2	7	5	4	9	6
4	6	5	9	3	8	1	2	7
2	9	7	6	4	1	3	8	5
6	2	3	4	1	9	7	5	8
7	5	1	3	8	6	9	4	2
8	4	9	5	2	7	6	1	3

126

3	7	5	1	6	2	4	8	9
8	6	1	4	9	3	5	2	7
2	4	9	7	8	5	1	6	3
4	9	3	8	5	7	6	1	2
7	1	6	2	4	9	8	3	5
5	2	8	3	1	6	7	9	4
6	5	7	9	2	1	3	4	8
1	8	2	5	3	4	9	7	6
9	3	4	6	7	8	2	5	1

127

1	2	7	4	8	9	3	5	6
3	6	8	5	2	7	1	9	4
9	4	5	6	3	1	2	7	8
8	9	3	2	1	5	4	6	7
2	7	4	8	6	3	5	1	9
5	1	6	7	9	4	8	3	2
4	3	2	1	7	6	9	8	5
7	5	9	3	4	8	6	2	1
6	8	1	9	5	2	7	4	3

128

7	1	5	4	9	3	8	2	6
8	2	3	5	7	6	9	4	1
6	9	4	1	8	2	3	5	7
3	4	9	2	6	5	7	1	8
2	7	8	9	4	1	5	6	3
1	5	6	8	3	7	2	9	4
9	6	7	3	5	4	1	8	2
4	8	2	7	1	9	6	3	5
5	3	1	6	2	8	4	7	9

129

1	3	5	9	8	7	4	2	6
2	8	9	6	5	4	3	7	1
7	6	4	1	3	2	8	9	5
5	9	6	3	2	1	7	4	8
8	4	2	5	7	9	1	6	3
3	1	7	4	6	8	9	5	2
4	5	8	2	9	3	6	1	7
9	2	3	7	1	6	5	8	4
6	7	1	8	4	5	2	3	9

130

9	5	2	8	7	4	1	3	6
4	6	3	2	5	1	8	9	7
1	7	8	9	3	6	5	4	2
5	2	7	4	1	9	6	8	3
3	8	4	7	6	5	2	1	9
6	9	1	3	2	8	7	5	4
2	3	9	1	8	7	4	6	5
8	4	6	5	9	2	3	7	1
7	1	5	6	4	3	9	2	8

131

8	5	7	2	1	6	4	9	3
3	6	2	7	9	4	8	1	5
9	1	4	3	5	8	6	2	7
2	9	5	8	3	7	1	4	6
4	3	1	5	6	2	7	8	9
7	8	6	1	4	9	3	5	2
1	2	3	4	7	5	9	6	8
5	4	9	6	8	3	2	7	1
6	7	8	9	2	1	5	3	4

132

8	2	1	6	7	9	3	5	4
5	4	9	2	8	3	1	7	6
3	6	7	1	4	5	2	8	9
1	7	6	5	3	4	9	2	8
9	5	3	8	2	6	4	1	7
4	8	2	7	9	1	6	3	5
6	1	8	4	5	2	7	9	3
7	3	4	9	1	8	5	6	2
2	9	5	3	6	7	8	4	1

133

8	5	1	4	7	6	2	3	9
9	7	2	8	1	3	5	4	6
3	6	4	2	9	5	7	1	8
5	2	3	9	6	1	4	8	7
1	8	6	7	4	2	3	9	5
7	4	9	5	3	8	1	6	2
4	9	5	1	8	7	6	2	3
6	1	7	3	2	9	8	5	4
2	3	8	6	5	4	9	7	1

134

6	9	7	2	4	1	8	5	3
4	8	5	9	3	7	2	6	1
2	1	3	5	8	6	7	4	9
8	2	6	3	9	4	1	7	5
7	5	4	1	2	8	9	3	6
9	3	1	7	6	5	4	2	8
1	6	8	4	7	3	5	9	2
3	4	9	8	5	2	6	1	7
5	7	2	6	1	9	3	8	4

135

9	2	6	1	7	4	3	5	8
7	3	5	8	2	6	1	4	9
4	8	1	9	3	5	6	2	7
3	6	9	5	8	7	2	1	4
8	1	2	4	9	3	7	6	5
5	4	7	2	6	1	9	8	3
6	9	8	3	4	2	5	7	1
2	5	3	7	1	8	4	9	6
1	7	4	6	5	9	8	3	2

136

2	6	5	1	9	8	3	4	7
7	8	4	2	5	3	1	6	9
3	9	1	4	7	6	2	8	5
4	5	3	7	2	9	8	1	6
9	1	6	3	8	5	7	2	4
8	7	2	6	1	4	9	5	3
1	4	8	5	3	7	6	9	2
5	3	9	8	6	2	4	7	1
6	2	7	9	4	1	5	3	8

137

9	5	8	3	7	2	4	1	6
1	2	7	6	4	8	9	3	5
3	6	4	9	5	1	8	2	7
2	4	1	5	9	6	3	7	8
7	8	9	2	3	4	6	5	1
6	3	5	8	1	7	2	4	9
4	7	6	1	2	9	5	8	3
8	1	3	4	6	5	7	9	2
5	9	2	7	8	3	1	6	4

138

2	6	3	8	9	5	1	4	7
9	8	4	1	7	3	6	2	5
1	7	5	4	6	2	9	8	3
6	4	2	9	3	1	5	7	8
5	9	8	2	4	7	3	1	6
7	3	1	5	8	6	4	9	2
8	5	9	6	2	4	7	3	1
4	1	7	3	5	8	2	6	9
3	2	6	7	1	9	8	5	4

139

2	7	8	6	9	3	5	4	1
4	3	9	5	7	1	8	2	6
1	5	6	4	2	8	3	9	7
9	2	3	1	5	7	6	8	4
8	4	7	3	6	2	1	5	9
6	1	5	8	4	9	2	7	3
7	6	1	2	8	4	9	3	5
5	9	2	7	3	6	4	1	8
3	8	4	9	1	5	7	6	2

140

7	4	8	5	3	9	1	6	2
6	9	3	1	2	7	4	5	8
5	2	1	8	4	6	9	7	3
2	3	9	6	1	4	5	8	7
1	8	7	3	9	5	2	4	6
4	5	6	7	8	2	3	9	1
8	1	5	9	7	3	6	2	4
9	7	4	2	6	1	8	3	5
3	6	2	4	5	8	7	1	9

141

6	5	7	3	8	1	2	4	9
4	1	3	9	2	6	5	7	8
2	9	8	7	5	4	6	1	3
1	8	6	2	3	9	4	5	7
5	3	4	6	7	8	1	9	2
7	2	9	1	4	5	3	8	6
8	7	1	4	6	3	9	2	5
3	4	5	8	9	2	7	6	1
9	6	2	5	1	7	8	3	4

142

1	3	5	9	8	7	4	2	6
2	8	9	6	5	4	3	7	1
7	6	4	1	3	2	8	9	5
5	9	6	3	2	1	7	4	8
8	4	2	5	7	9	1	6	3
3	1	7	4	6	8	9	5	2
4	5	8	2	9	3	6	1	7
9	2	3	7	1	6	5	8	4
6	7	1	8	4	5	2	3	9

143

5	9	7	6	3	8	2	4	1
3	1	6	2	4	7	9	8	5
8	2	4	9	1	5	6	7	3
7	8	9	4	2	1	3	5	6
6	5	2	8	7	3	1	9	4
1	4	3	5	9	6	7	2	8
2	6	8	3	5	9	4	1	7
9	7	5	1	6	4	8	3	2
4	3	1	7	8	2	5	6	9

144

4	1	3	6	7	8	2	5	9
6	8	2	9	3	5	7	4	1
7	5	9	4	2	1	6	3	8
3	9	4	5	1	6	8	2	7
1	7	5	8	9	2	4	6	3
8	2	6	3	4	7	9	1	5
9	3	7	1	6	4	5	8	2
5	6	1	2	8	9	3	7	4
2	4	8	7	5	3	1	9	6

145

2	1	6	8	3	4	5	7	9
7	9	8	1	5	2	4	6	3
3	5	4	9	7	6	1	8	2
6	2	3	5	9	1	7	4	8
5	4	1	7	2	8	9	3	6
9	8	7	4	6	3	2	1	5
4	6	5	3	1	9	8	2	7
8	7	2	6	4	5	3	9	1
1	3	9	2	8	7	6	5	4

146

6	1	2	5	7	9	8	3	4
3	5	4	6	2	8	1	7	9
9	8	7	1	4	3	5	6	2
4	7	1	2	6	5	3	9	8
2	3	9	8	1	7	4	5	6
5	6	8	3	9	4	2	1	7
7	2	3	4	5	6	9	8	1
8	4	6	9	3	1	7	2	5
1	9	5	7	8	2	6	4	3

147

4	1	3	6	7	8	2	5	9
6	8	2	9	3	5	7	4	1
7	5	9	4	2	1	6	3	8
3	9	4	5	1	6	8	2	7
1	7	5	8	9	2	4	6	3
8	2	6	3	4	7	9	1	5
9	3	7	1	6	4	5	8	2
5	6	1	2	8	9	3	7	4
2	4	8	7	5	3	1	9	6

148

4	8	2	6	5	7	9	3	1
9	6	1	3	2	8	4	7	5
5	7	3	4	1	9	6	8	2
1	9	5	7	3	6	8	2	4
6	4	8	2	9	5	7	1	3
3	2	7	1	8	4	5	9	6
2	5	6	8	7	1	3	4	9
8	3	9	5	4	2	1	6	7
7	1	4	9	6	3	2	5	8

149

1	9	7	6	4	2	5	3	8
3	2	8	1	5	7	9	6	4
6	5	4	3	8	9	2	1	7
7	4	6	9	3	5	8	2	1
5	1	9	4	2	8	6	7	3
2	8	3	7	1	6	4	5	9
8	7	2	5	9	3	1	4	6
9	3	1	2	6	4	7	8	5
4	6	5	8	7	1	3	9	2

150

9	3	6	1	7	2	8	4	5
4	2	1	5	9	8	3	7	6
5	7	8	4	6	3	2	9	1
8	4	9	6	5	7	1	2	3
2	5	7	8	3	1	4	6	9
1	6	3	2	4	9	5	8	7
3	8	4	7	1	6	9	5	2
7	9	5	3	2	4	6	1	8
6	1	2	9	8	5	7	3	4

151

8	3	2	6	4	9	5	7	1
6	1	7	8	5	3	9	2	4
9	5	4	7	2	1	3	8	6
5	7	9	1	8	4	6	3	2
3	2	6	9	7	5	1	4	8
1	4	8	3	6	2	7	5	9
2	8	1	5	9	7	4	6	3
7	6	3	4	1	8	2	9	5
4	9	5	2	3	6	8	1	7

152

5	1	4	2	6	7	3	9	8
3	6	7	9	8	1	2	4	5
2	9	8	4	3	5	6	7	1
1	7	5	3	2	4	9	8	6
9	3	6	5	1	8	7	2	4
4	8	2	6	7	9	5	1	3
8	2	1	7	5	3	4	6	9
7	4	3	8	9	6	1	5	2
6	5	9	1	4	2	8	3	7

153

6	7	9	8	5	2	1	3	4
3	8	1	4	6	9	7	2	5
2	4	5	1	3	7	8	6	9
7	9	3	5	2	1	4	8	6
1	5	4	6	8	3	9	7	2
8	6	2	9	7	4	5	1	3
4	2	7	3	1	5	6	9	8
9	1	6	2	4	8	3	5	7
5	3	8	7	9	6	2	4	1

154

7	1	6	4	3	8	2	5	9
4	2	8	6	9	5	7	3	1
3	5	9	2	7	1	8	6	4
8	7	3	9	4	2	5	1	6
6	4	1	8	5	3	9	7	2
2	9	5	1	6	7	4	8	3
9	8	7	3	2	6	1	4	5
1	3	2	5	8	4	6	9	7
5	6	4	7	1	9	3	2	8

155

1	6	8	3	4	2	7	9	5
5	3	2	7	9	6	1	4	8
7	9	4	1	5	8	2	6	3
4	7	1	6	3	5	8	2	9
8	2	3	9	7	4	5	1	6
9	5	6	2	8	1	3	7	4
6	8	7	4	2	3	9	5	1
3	1	9	5	6	7	4	8	2
2	4	5	8	1	9	6	3	7

156

1	2	6	7	3	4	5	8	9
8	5	3	1	2	9	4	6	7
7	4	9	6	8	5	3	1	2
5	1	2	9	4	6	8	7	3
6	9	8	3	7	1	2	5	4
4	3	7	2	5	8	1	9	6
3	8	1	4	6	7	9	2	5
9	6	4	5	1	2	7	3	8
2	7	5	8	9	3	6	4	1